La course au bout de la terre

La course au bout de la terre

LOUISE-MICHELLE SAURIOL

Illustrations
GEORGETTA PUSZTAÏ

Données de catalogage avant publication (Canada)

Sauriol, Louise-Michelle

La course au bout de la terre

(Collection Libellule)
Pour les jeunes.

ISBN: 2-7625-4057-7

I. Titre. II. Collection.

PS8587.A386C68 1994   jC843'.54 C94-940110-2
PS9587.A386C68 1994
PZ23.S38Co 1994

Conception graphique de la couverture: Bouvry Designer Inc.
Illustrations couverture et intérieures: Georgetta Pusztaï

Édition originale © Les éditions Héritage inc. 1991
Réédition: © Les éditions Héritage inc. 1994
Tous droits réservés

Dépôts légaux: 1er trimestre 1994
Bibliothèque nationale du Québec
Bibliothèque nationale du Canada

ISBN: 2-7625-4057-7   Imprimé au Canada

LES ÉDITIONS HÉRITAGE INC.
300, Arran, Saint-Lambert (Québec) J4R 1K5
(514) 875-0327

*aux enfants de
toutes les couleurs*

ECOLE TOURNESOL
C.P. 40 - St-Léonard
Nicolet
JOC 1M0

ALASKA

NOME
WHITE MT.
ELIM
KOYUK
SHAKTOOLIK
UNLAKLEET
GOLOVIN
EAGLE ISLAND
GRAYLING
CRIPPLE
ANVIK
SHAGELUK
PHIR
NIKOLAI
IDITHAROD
TAKOTNA
McGRATH
ROHN ROADHOUSE
RAINY PASS LODGE
FINGER LAKE
SKWENTNA
BIG LAKE
KINIK
WASILLA
EAGLE RIVER
ANCHORAGE
SEWARD

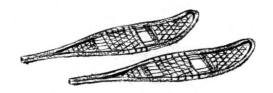

1
Le départ

Premier samedi de mars : c'est la course en Alaska, la course de chiens la plus longue du monde! Yaani attend le signal, le corps tendu, les yeux brillants. Il a de la peine à retenir son attelage. Des amis l'aident à contenir ses bêtes, nerveuses, impatientes. Anouk, sa chienne husky, tire déjà pour entraîner les autres. Sitka, Kad-louk, les pattes fébriles, piétinent la neige ; Amarok jappe sans arrêt ; des buées blanches s'élèvent au-dessus de toutes les têtes.

Le mercure descend depuis ce matin, le froid crispe les visages et fait grelotter jusqu'aux os. La foule crie des noms, se réchauffe en tapant des pieds, des mains. Un brouhaha monstre jaillit de partout.

Yaani n'a pas froid. Il est bien vêtu. Il porte un parka de caribou, des mitaines de phoque. Il a tra-vaillé avec les femmes à la confec-tion de ses habits. Elles ont cousu ses chaussettes de peau de lièvre, si douces, si chaudes et fabriqué avec lui les bottillons pour les chiens. Des centaines de botillons de rechange pour empêcher les chiens d'user leurs pattes. Rien ne manque.

Il est prêt à franchir les 1 750 kilomètres pour atteindre la côte. Pendant des semaines il bravera tous les éléments sur le trajet de la course, d'Anchorage à Nome.

On l'appelle l'**Iditarod**, cette course, en souvenir d'une ville minière du temps des chercheurs d'or; mais la piste n'a rien de doré, c'est même un vrai casse-cou! Lui, le jeune *Inuk** de douze ans, va tenter la grande aventure. Il veut être le premier de sa race, le premier d'entre les *Inuit** à remporter la course.

Ses frères, ses sœurs, ses parents, ne peuvent y croire. Concourir avec tous ces étrangers? Certains ont beaucoup d'expérience: des femmes, des hommes blancs venus de partout. On dit qu'il y en a plus de soixante! Comment Yaani va-t-il

---

*Inuk, Inuit: noms que les Esquimaux se donent à eux-mêmes; cela veut dire «homme», «êtres humains». On dit un Inuk, des Inuit.

résister tout seul durant tant de jours? Pourquoi s'entêter devant le destin? Un destin de petit homme pauvre sur une terre glacée.

— Yaani! supplie un cousin, il va t'arriver malheur! Reste! T'en vas pas si longtemps!

— Pas question! répond-il les lèvres serrées, des touffes de cheveux noirs en bataille devant sa figure. J'irai jusqu'au bout! Le prix, je l'aurai! On pourra éclairer, chauffer toutes les maisons du village!

Il s'est entraîné durant des mois, une année entière, avec ses chiens huskies. Aujourd'hui, ils sont là devant lui, tous les huit. Eux aussi sont prêts. Prêts à le tirer au bout de la Terre jusqu'à Nome. Nome, la ville destination, l'arrivée. Un mot qui tournoie sans arrêt dans sa tête. Nome, Nome...

Il sursaute... C'est son tour! 5-4-3-2-1- **Partez**!

— **Auk**! **Auk**! Allez! Allez! En avant! Allez! cire Yaani.

Le traîneau dévale la piste et s'éloigne dans un tourbillon de neige.

— Allez, mes beaux amis, plus vite! Allez!

15

Là-haut, la Grande Ourse perce le ciel de son chariot d'étoiles lumineuses ; un peu plus loin, brille l'étoile Polaire, l'étoile du nord. Tout est clair devant lui. Yaani file longtemps, à toute allure, comme un bolide. Rien ne l'arrêtera !

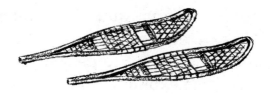

2

La baleine de cristal

Yaani dépasse un attelage, puis un autre, et d'autres encore. Il se sent fort, les chiens aussi. Ils tendent leurs pattes vers le nord-ouest avec toute l'énergie de leurs gros muscles.

— Allez Anouk! Allez vous tous!

Longtemps avant le jour de la

course, les gens de son village, les anciens, ont palabré. Ils connaissent le tracé : Yaani doit glisser vers la mer, sous le cercle arctique. Vers le détroit par où les Inuit sont tous venus autrefois, quand les terres d'Alaska et de Sibérie étaient réunies. Les hommes de son peuple lui ont tout expliqué, et leurs paroles sont gravées dans sa mémoire.

Certains l'ont mis en garde contre les choses terribles qui peuvent arriver en voyage :

— Attention! La tempête se lève là-bas comme un fantôme géant! On ne la voit pas venir, elle s'abat subitement, insensée, folle de rage. Elle enveloppe tout, brouille absolument tout. C'est le blizzard total, l'effacement des points cardinaux.

— Attention! De mauvais esprits voyagent parfois dans le ciel! Des lumières bougent, prennent des couleurs, s'agitent dans le noir. Elles tendent des pièges aux voyageurs. On les appelle des aurores boréales, méfie-toi.

Un vieux chasseur, nommé Kopak, n'a rien dit. Pendant longtemps il a observé les préparatifs, écouté les discussions. Puis un jour, il a touché l'épaule de Yaani:

— Mon garçon, tu es courageux, j'ai quelque chose pour toi.

— J'ai déjà toutes mes provisions. Je ne peux rien ajouter.

— Tu dois accepter, c'est une pièce unique, elle va te porter chance ! Et elle n'est ni grosse, ni lourde.

— Alors, montre-la !

— Le mois dernier, j'ai abattu une baleine extraordinaire. Une baleine énorme. Moi et mes hommes avons dû la harponner plusieurs fois. Elle apparaissait, plongeait, refaisait surface, disparaissait encore sous les balottements de l'oumiak*. Elle était blanche, brillante, courageuse et tellement belle. Quand nous l'avons enfin tirée à terre, sa peau continuait de luire comme du cristal !

— Comme du cristal ?

— Tout à fait. Et lorsque nous

*oumiak : bateau de 9 mètres de long, fait de peaux de phoque tendues et montées sur une charpente d'os ou de bois

l'avons découpée, chacune des pièces continuait de briller, c'en était aveuglant ! La baleine semblait résister encore. Je t'en ai taillé un morceau tendre et unique. Regarde !

Yaani s'est penché pour voir au fond du sac tendu par le vieil homme. Il a reculé en clignant des yeux. C'était bien vrai, le morceau de baleine brillait d'un vif éclat, comme sous un éclairage ardent. Pourtant, il faisait très sombre.

— Tu vois, je l'ai taillé en étoile ! Enveloppe-le bien et garde-le précieusement avec toi.

Yaani l'emporte. Il n'a pas peur des tempêtes ni des aurores boréales, mais on ne sait jamais. Et puis, c'est joli à regarder cette étoile de baleine, toute brillante, comme du vrai cristal ! Il l'a bien ficelée et rangée sur le traîneau avec ses effets

indispensables : un sac de couchage, des raquettes, les bottillons de rechange pour les chiens, une hache et des provisions de bouche.

Maintenant, il a confiance. Il sait où il va. Rien ne manque. Le trajet à parcourir lui apparaît comme un long chemin familier. Un chemin coupé d'arrêts, d'entrées en piste, terminé par une ligne d'arrivée ; une ligne d'arrivée que l'on franchit en criant de bonheur !

— Courez mes braves ! Vite, plus vite !

Il dépasse encore un autre attelage parti avant lui. Il regarde la montagne. Il pense aux caribous là-bas, sur le mont McKinley*. Yaani adore la chasse. Mais tant pis pour les caribous ! Tant pis pour tout le gibier ! Il y a plus important aujourd'hui !

---

*Le mont McKinley : montagne de 6 194 m d'altitude, la plus élevée d'Amérique du Nord.

— Allez toujours, Anouk, Sitka, Kadlouk... On arrive!

Un village en vue, Skwentna. Première halte! Tout va bien, Yaani conserve une avance. Il s'arrête dans une cabane de trappeur; il engloutit deux truites reçues en cadeau, avale de la banique* avec une tasse de thé bien chaud. Les chiens dévorent leur ration de viande. Quelques heures de sommeil et il repart en vitesse, plus déterminé que jamais.

---

*banique: pain de forme arrondie, cuit sans levain, populaire chez les Inuit et les Indiens Cris.

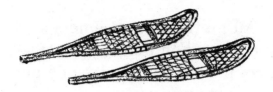

3

La tempête

Les matins suivants et ce, durant six jours, son attelage le tire comme une locomotive vivante, puissante. Yaani traverse des villages aux applaudissements des gens massés le long du parcours.

Il parle à ses chiens, leur tient des discours, comme à des amis, des sauveurs. Il les pousse au but.

— Allez, allez! Anouk, ma princesse, allez, à l'attaque finale, mes copains! Courage, Sitka! Courage, Kadlouk! En avant, Amarok! Bientôt, bientôt...

Au matin du septième jour, voilà que le ciel s'ennuage. Le vent se met à souffler. Il souffle avec de plus en plus de force.

Des rafales de neige tourbillonnent dans le lointain. Elles se rapprochent sous la poussée impétueuse du vent. Yaani les ignore. Il peut fendre tous les vents et toutes les rafales sur son traîneau. Qu'ils viennent toujours!

Vingt kilomètres plus loin, la neige tombe, abondante: les chiens foncent tête baissée. La piste se couvre rapidement d'une épaisseur ouatée; les points de repère disparaissent, se fondent dans les flocons.

Yaani refuse de se soumettre. Non il ne va pas s'arrêter. Il doit continuer la course!

Le vent gonfle la neige, les bourrasques le frappent de plein fouet. Les chiens hésitent.

— Allez donc! En avant, les amis!

De gros tourbillons viennent lui bloquer la vue. Il n'y voit plus rien. La tempête monte, monte. Le blizzard lui pince la figure, le bombarde

de cristaux durcis. Il continue à crier:

— Auk! Auk! Allez, allez…!

Le traîneau dévie, frappe un bloc de glace. CRAC!

Les chiens s'affolent. Yaani est projeté dans la neige par-dessus le traîneau. Il a mal, très mal, mais il n'est pas blessé.

Lentement, il se relève. Étourdi, à demi inconscient, il rejoint les chiens. Où se trouve Anouk, sa chienne husky si belle et si agile? La voici, à l'écart, totalement abattue, une patte écorchée, douloureuse. Elle gémit. Les autres ne vont guère mieux.

—Anouk, quel malheur! dit Yaani.

L'attelage n'en peut plus. Yaani se sent fini, perdu. Il détache les chiens et leur distribue une ration de poisson. Ils mangent avec avidité, haletant dans le vent qui siffle.

Anouk lèche sa patte, incapable de bouger. À grand-peine, le jeune Inuk retrouve sa trousse de secours dans le traîneau. Il panse la bête en la caressant.

— Ma pauvre princesse! Catastrophe de catastrophe!

La tempête rage. Comment retrouver la piste? Disparue, ensevelie sous les neiges. Yaani est complètement égaré.

Des sanglots plein la gorge, il se protège comme il le peut et attend. Un jour complet s'écoule. Que faire, sinon patienter?

La furie du ciel balaie la plaine à une vitesse infernale. Le fantôme des tempêtes s'attarde, hurle, claque ses chaînes de glace; il couvre toutes les pistes de longs draps blancs.

Yaani se cale contre ses chiens, à moitié gelé, sans espoir. Il tombe dans un sommeil lourd, l'esprit traversé de cauchemars. Des monstres à tête de loups blancs le poursuivent, le font frissonner. Il s'agrippe au collier d'Anouk. Des larmes roulent sur ses joues. Jamais il n'arrivera premier, jamais il ne remportera de prix. Ses rêves sont anéantis.

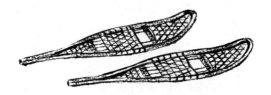

4

L'appât magique

Au milieu de la nuit suivante, il s'éveille. Plus rien. Les vents se sont enfin apaisés, tout est calme. Est-ce possible?

Yaani s'assoit. Surprise! Dans le ciel, des courants de lumière voyagent, décrivent des arcs, forment des lignes de toutes sortes et de toutes couleurs. Une aurore boréale! Il contemple cette féerie, tout émerveillé; il se sent envahi d'une nouvelle énergie!

— Voilà le Signe! dit-il. Vite, il faut repartir! Allez, mes amis, debout! Peut-être qu'on pourra retrouver cette piste.

Il retourne vers le traîneau et s'emploie à le dégager. Il travaille dur, soutenu par le feu des lumières magnétiques du ciel.

La plupart de ses bagages sont demeurés attachés au traîneau. Il récupère sa hache et ses raquettes assez facilement. Il cherche la nourriture, il a faim, très faim. Il réussit à remettre le traîneau sur ses lames. Sur le côté, se trouve le sac aux provisions: quelques morues séchées, des boules de viande, du muktuk* gelé, sont répandus dans la neige.

*muktuk: plat traditionnel à base de peau et de gras de baleine.

Il s'empare de ces délices. Il nourrit les chiens, mange avec eux, les rassure. Les aurores boréales se multiplient et se déploient comme de minces fichus de couleur.

— Voyez ces lumières, mes amis, c'est le Signe, je vous le dis. Venez! Vous êtes encore capables!

Les chiens se lèvent, les oreilles dressées. Yaani les attelle. Il place Kadlouk en tête avec Amarok, Sitka et Anouk à la patte blessée en second, les autres en arrière, deux à deux. Il continue de leur parler :

— Allez, il faut essayer de sortir d'ici. Allez, mes amis, courage ! la piste est quelque part. Il faut chercher !

Il les guide un moment, puis remonte dans le traîneau.

Mais les chiens refusent d'avancer plus loin. Rien à faire, ils ne veulent plus courir. Ils se recouchent, complètement sourds à ses paroles.

Yaani s'obstine, les tire par le collier, brandit son fouet, mais en vain. Ils refusent tous les ordres.

Le jeune Inuk lève la tête, désolé. Soudain, les lueurs fantastiques du ciel lui rappellent Kopak, le vieux chasseur de baleines.

Où est-elle, cette pièce de baleine,

brillante comme du cristal, découpée en forme d'étoile?

Il fouille dans les bagages. Elle
n'y est plus. Il revient sur ses pas,
marche encore. Un craquement
lointain le fait sursauter; et si un
orignal venait à le charger! Vite!
Non loin du bloc de glace quelque

chose dégage une faible luminosité. Il se précipite à grandes enjambées de raquettes.

Hourra! C'est bien le sac reçu en cadeau. L'étoile de baleine se trouve à l'intérieur. Il la retire du sac et elle se met à briller de mille feux. Les chiens frémissent, se relèvent, attirés par cet objet appétissant et mystérieux.

Le cœur battant, Yaani prend sa hache et cherche des branches sous la neige. Par chance, il en trouve quelques unes. Il choisit la plus forte et la taille en un long bâton. Puis il attache l'étoile de baleine au bout et la laisse pendre comme un appât.

Tout à coup, Yaani entend des frottements contre les arbres et des pas qui s'enfoncent dans la neige; des orignaux, il en est sûr!

Il revient rapidement vers ses chiens huskies et leur présente l'appât lumineux. Les chiens se bousculent, s'excitent. Trois orignaux montrent alors leur tête empanachée par-dessus les buissons et se préparent à charger.

Yaani saute dans le traîneau et tend la pièce étoilée au-dessus des chiens. Ils partent! Ouf! Ils s'élancent à toutes jambes, avec la fougue des premiers jours. Ils poursuivent avec une envie dévorante l'appât tendu devant eux. Et ils courent, courent, laissant les orignaux brouter leurs écorces.

Pourra-t-il vraiment retrouver cette piste? Très loin à droite, un autre attelage se profile. On lui fait des signes. Par là! Il tourne, remet les chiens dans la bonne direction.

Est-il le dernier? Il n'en sait rien,

mais la piste est là-bas, tout devant ! Un nouvel espoir s'empare de lui.

— Vite, plus vite, il faut avancer !

Kadlouk bondit, les autres suivent, comme électrifiés par ce nouvel astre. Oh ! s'ils pouvaient en prendre une petite bouchée, une toute petite bouchée ! Les chiens soulèvent le traîneau, s'efforcent d'atteindre l'appât. Ils mettent tant d'ardeur qu'ils rejoignent l'attelage aperçu plus tôt ! Ils jappent un bon coup et le dépassent en trombe !

— Vite, encore, allez, crie Yaani au comble de l'excitation.

Toute la journée, les chiens courent sans s'arrêter. Le traîneau s'engage plus au nord. À cette hauteur, la piste s'étend presque à l'infini, dépouillée de toute végétation haute ; pas un arbre, seulement quelques plantes éparses. C'est la toundra* à perte de vue.

Il dépasse d'autres attelages aux chiens à moitié morts de fatigue. En reste-t-il devant lui? Qu'importe, il va continuer à se battre.

Les chiens maintiennent un rythme jamais atteint; l'appât magique les attire, les fait s'élancer au-dessus de la piste.

ECOLE TOURNESOL
C.P. 40 - St-Léonard
Nicolet
J0C 1M0

---

*toundra: grandes plaines dans la région des pôles où le sol est gelé en profondeur une partie de l'année.

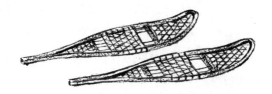

5

Le vol plané

Le village de Shaktoolik se dessine déjà. Yaani doit arrêter pour faire le plein de nourriture et de sommeil. C'est la dernière étape, la plus importante. Il entoure ses chiens, vérifie les harnais, les bottillons, les pattes. Tout va bien. Même après un tel effort, les chiens demeurent fringants. Sauf Anouk qui tourne en rond ; elle finit par venir poser sa tête sur ses genoux.

— Tu as trop travaillé, je sais, lui dit-il en tapotant son dos. Tu devrais rester ici avec ta patte amochée, mais j'ai besoin de toi ; j'ai tellement envie de t'amener ! Repose-toi, ma princesse, je t'en prie !

Minuit. Yaani n'arrive plus à dormir. Il reprend la course, seul sur la piste avec ses chiens, éclairé par cette étrange étoile de baleine.

— Allez ! Allez toujours, la piste est à nous ! À nous seuls. Allez !

Il a franchi des centaines de kilomètres quand la neige se remet à tomber. La tempête va-t-elle encore se lever ? Le froid mord les lèvres, couvre de givre les cils des chiens. Yaani doit s'arrêter plusieurs fois pour les dégivrer.

À un arrêt, dans la pénombre, il croit distinguer un autre attelage qui s'amène. Il repart mais une ombre le suit, ne le lâche pas. L'autre attelage progresse avec autant de vigueur que le sien, d'un élan régulier, constant. Une illusion ? Hélas non, le traîneau le serre de près, finit par le dépasser ! Il n'est plus le premier !

Des crampes lui tordent l'estomac. Un goût amer lui monte à la bouche. Que faire ?

Nouvel arrêt pour changer quelques bottillons usés et démêler les lanières de l'attelage. Anouk lui lèche la main. Anouk ! C'est elle qu'il lui faut ! Elle seule peut sauver la course. Elle possède l'intuition des moments graves. Elle saura le conduire au but ! Vivement, il l'attelle en tête avec Amarok. Mais sa patte blessée tiendra-t-elle le coup ?

Yaani tend à nouveau l'appât. Anouk détale suivie par le reste de l'attelage. Le regard fixé sur l'étoile de baleine, une force magique la pénètre, durcit son corps, la fait courir à toute vapeur !

— Allez ! Allez ! Ma princesse, ma toute belle, allez !

Dans le brouillard blanc de neige, elle se dirige vers Nome sans hésiter. Elle détecte la piste sans même la voir. Fascinée, envoûtée par l'étoile, elle franchit les kilomètres comme une fée des neiges !

Le traîneau longe la plage. La mer est toute proche. Yaani ne peut pas l'apercevoir, mais il la devine au brouillard qui s'élève à l'horizon. Encore cinquante kilomètres avant la fin. Vaincra-t-il ? Il cède à l'engourdissement. Il ferme les yeux.

Pas pour longtemps, un crissement sur sa droite le réveille comme un soufflet glacé. L'ombre! Le traîneau concurrent s'efface dans la plaine. Yaani vient de reprendre la tête!

Il ne sent plus son coprs raidi par la fatigue et le froid. Mais sa pensée se ranime, il mène à nouveau, c'est lui qui mène la course!

— Anouk, mon bel husky! Mes amis, à nous la victoire! À nous le grand prix!

Sa chienne l'entraîne à l'ouest, toujours à l'ouest.

Près du Cap Nome, il faut tourner, le tracé l'indique; Yaani l'a bien vu. Une secousse subite le projette en avant; un autre chien a de graves problèmes. Kadlouk, le meneur de remplacement boite, s'essouffle. Il finit par s'écraser.

Yaani détache le chien avec des

mouvements de robot. Il le fait monter à l'arrière du traîneau. Le gros chien se pelotonne dans une couverture ; il a donné tout ce qu'il pouvait.

Le traîneau alourdi par les vingt cinq kilos de Kadlouk, Yaani lance les autres chiens vers le village. C'est le sprint final !

— Allez, Anouk ! Allez ! Du courage, vous tous, c'est Nome devant, Nome !

Anouk, ensorcelée, vise l'étoile de baleine, les oreilles bien droites, les pattes insensibles. Les six autres chiens font des efforts incroyables pour avancer, malgré le poids supplémentaire à tirer.

Mais derrière eux, un traîneau prend forme à nouveau, se rapproche peu à peu. Les chiens de cet attelage foncent sur la piste en aboyant.

Ils paraissent nombreux et gagnent rapidement du terrain.

La foule agite des pancartes, fait tinter des clochettes.

Yaani n'entend rien, ne voit personne. Il sent l'adversaire dans son dos. Cette pression l'étouffe, il a peur d'éclater.

— Nome, Nome, allez mes amis, c'est là, on arrive !

Son attelage commence à s'épuiser, ralentit même un peu ; vont-ils continuer ?

Yaani jette un coup d'œil en arrière. Le traîneau concurrent le talonne au point qu'il croit sentir l'haleine des chiens.

Va-t-il échouer à la dernière minute ?

Anouk a flairé le danger, elle

aussi. Elle réagit comme une fusée!
D'un ultime élan, elle rebondit sur
ses pattes, secoue les autres chiens,
lève de terre dans le sillage de
l'étoile. Ils aboutissent droit sur le
village en vol plané!

Yaani aperçoit la ligne d'arrivée.
Son traîneau la traverse! IL
GAGNE!!! Par quelques secondes,
il gagne la première place!

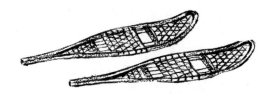

6

Victoire!

C'est le délire général, le tinta-marre sans fin. On l'acclame de par-tout! On veut le fêter, on l'entraîne vers les micros. Tous les reporters du monde sont sur place. les camé-ras se rapprochent, les éclairs de magnésium fusent, son image fait le tour de la Terre!

Yaani arrive enfin à s'échapper. Il

revient à ses chiens, les embrasse, leur parle doucement.

— Anouk, ma belle aux pattes magiques, merci! Merci à vous tous, mes amis! Mais oui, vous l'aurez votre étoile de baleine, elle vous appartient. Attendez juste un peu...

Il soulève la longue branche pour libérer l'appât étoilé.

Ses sœurs, ses frères, ses parents, toutes les personnes de son village l'entourent tendrement. Ce qu'ils peuvent être fiers de lui! Ils suivent ses gestes avec émotion, comme on assiste à une cérémonie.

Yaani ne les remarque même pas; les joues brûlantes, il travaille à dégager cet appât de cristal unique, encore scintillant. Mais soudain, l'étoile grossit dans ses mains, prend du volume pointe dans toutes les directions!

Yaani ne comprend pas, il tire plus fort.

Un vieil homme sort de la foule mystifiée. C'est Kopak, le chasseur !

— Laisse, laisse Yaani, laisse aller cette étoile magique. Elle t'a bien servi, laisse-la voyager librement dans l'espace.

Yaani obéit aussitôt, la gorge sèche, les jambes tremblantes. L'étoile de baleine se détache alors toute seule et s'élève au-dessus des chiens huskies.

De petits morceaux de chair de baleine se mettent à tomber sur les bêtes qui les gobent, tout excitées. Et pendant que la pluie lumineuse continue de ruisseler sur les chiens, l'étoile prend son envol et disparaît là-haut !

Toutes les têtes se tournent vers le

ciel arctique. Époustouflant! Sur la voûte obscure, la Grande Ourse promène un chariot plus lourd d'étoiles. L'étoile de baleine est allée se nicher dans la super constellation boréale!

Yaani a oublié ses fatigues, tellement il est heureux. Il a l'impression de flotter dans une espèce de paradis. Est-il vraiment à Nome sous le cercle arctique?

Des chants s'élèvent: il fait demi-tour et découvre les gens de son peuple, là, rassemblés.

Doucement, puis à voix vibrante, ils chantent tous ensemble le bonheur de la victoire. Les images de la course se mettent à défiler dans sa tête à toute vitesse, comme dans un film de cinéma ancien. La tempête! L'étoile magique! Il a bel et bien gagné l'**Iditarod**, la course de chiens de traîneaux la plus longue du monde!

Table des matières

Un mot sur l'illustratrice

Georgetta Pusztaï est née en Roumanie. Diplomée de l'Institut des Beaux-Arts de Bucarest, elle commence sa carrière comme artiste exposante dans les principales villes d'Europe : Bonn, Cologne, Bruxelles, Leipzig, Barcelone, Bucarest, Genève, Luxembourg, etc. Elle a signé plusieurs centaines d'illustrations. Elle est installée au Canada depuis 1984.

collection libellule

À partir de 7 ans

As-tu lu les livres de la collection Libellule ? Ce sont des petits romans palpitants. Ils sont SUPER ! Si tu veux bien t'amuser en lisant, choisis parmi ces titres.

Les oreilles en fleur
Lucie Cusson

Pour échapper à ses problèmes, Simone s'enfuit dans la nuit avec une amie très « spéciale ».

La pendule qui retardait
Marie-Andrée et Daniel Mativat

Qu'arrivera-t-il à cette pendule qui retarde d'une minute quand elle apprendra que le sort du monde est lié à chacun de ses tics et de ses tacs ?

Les sandales d'Ali-Boulouf
Susanne Julien

Ali-Boulouf porte des sandales qui le mettent dans un drôle de pétrin. Moulik, gamin plein d'astuce et de débrouillardise sauvera-t-il son oncle de la prison ?

Le lutin du téléphone
Marie-Andrée et Daniel Mativat

Viremaboul est un maître en farces et attrapes. Dans son logis, au creux d'un sapin, il mène une existence agréable jusqu'au jour où…

collection libellule

Le bulldozer amoureux
Marie-Andrée Boucher Mativat

Cinq tonnes de muscles d'acier, la force de soixante chevaux, rien ne résiste à Brutus. Pourtant, un soir d'été…

Nu comme un ver
Daniel Wood

Simon découvre que la marée a emporté ses vêtements. Comment va-t-il parvenir à rentrer tout nu chez lui à l'autre bout de la ville ?

L'ascenseur d'Adrien
Cécile Gagnon

L'opérateur de l'ascenseur et le portier d'un vieil hôtel sont mis à la porte. Mélanie et Ange-Aimé vont former avec eux la plus sympathique des entreprises de recyclage.

La sorcière qui avait peur
Alice Low

Ida, la petite sorcière, est désespérée : elle ne réussit pas à faire peur. Heureusement, un gentil fantôme vient à sa rescousse.

Barbotte et Léopold
Pierre Roy

Un petit garçon plein d'affection pour son grand-père nous offre un coup d'oeil décapant sur l'univers des personnes âgées et malades.

collection libellule

Moi, j'ai rendez-vous avec Daphné
Cécile Gagnon

Voici la courte biographie d'un chat ordinaire. Il partage le logis de Noémie qui lutte avec détermination pour devenir écrivaine.

Un fantôme à bicyclette
Gilles Gagnon

Jasmine est propriétaire d'une bicyclette. Avec son ami Tom-Tom elle tente de déjouer les mystifications de l'étrange «fantômus bicyclettus».

GroZoeil mène la danse
Cécile Gagnon

Un épisode de la vie mouvementée des chats danseurs: Daphné et GroZoeil. Cette fois, ils deviennent les vedettes d'une campagne de publicité.

Moulik et le voilier des sables
Susanne Julien

Moulik et ses amis construisent un drôle de voilier. Comment se terminera leur voyage dans le désert et leur visite d'une oasis ?

Kakiwahou
A. P. Campbell

Voici l'histoire d'un petit Amérindien qui vit sur les bords de la Miramichi. Il ressemble à tous les autres sauf… pour sa façon de marcher.

collection libellule

La course au bout de la terre
Louise-Michelle Sauriol

En Alaska, c'est la grande course de chiens de traîneau. Près de 2 000 km à franchir. Yaani se lance à l'aventure avec ses huit chiens esquimaux. Quel défi!

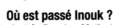

Où est passé Inouk ?
Marie-Andrée Boucher Mativat

François et Sophie partent à la pêche sur la glace. Mais ils n'y vont pas seuls. Ils décident d'emmener leur chien, Inouk. Est-ce vraiment une bonne idée ?

Une lettre dans la tempête
Cécile Gagnon

En plein hiver, à Havre Aubert, aux Îles-de-la-Madeleine, le câble télégraphique qui relie les îles au continent se casse. Comment faire parvenir un message important quand on est coupé de tout ?

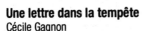

Mademoiselle Zoé
Marie-Andrée et Daniel Mativat

Une maladresse de son maître, l'émir Rachid Aboul Amitt, force Zoé à quitter son pays, le Rutabaga, pour aller vivre en Fanfaronie. S'adaptera-t-elle à sa nouvelle existence ?

Un chameau pour maman
Lucie Bergeron

Pourquoi Nicolas a-t-il tant besoin d'un chameau pour sa mère ? Est-ce pour son cadeau d'anniversaire ? Ou parce qu'elle prépare une étude sur les animaux d'Afrique ? Et si c'était pour une autre raison…

collection libellule

La planète Vitamine
Normand Gélinas

Fiou et Pok, les aides du professeur Minus débarquent sur la planète Vitamine. Un intrus a convaincu les tomates de recevoir un traitement aux engrais chimiques.

La grande catastrophe
Lucie Bergeron

La radio annonce que le réchauffement de la planète va atteindre son maximum. Comment Samuel et Étienne vont-ils empêcher leur fort de neige de se transformer en flaque d'eau ?

Une peur bleue
Marie-Andrée Boucher Mativat

Une grande chambre, un mobilier tout neuf, voilà des propositions emballantes. Pourtant, Julie a de bonnes raisons d'avoir peur d'aller coucher au sous-sol.

La sirène des mers de glace
Louise-Michelle Sauriol

Soudain la banquise craque. Yaani est emporté à la dérive. Il tombe au fond de l'océan. Son étoile magique, devenue étoile de mer, l'entraîne dans une aventure fantastique.

ECOLE TOURNESOL
C.P. 40 - St-Léonard
Nicolet
JOC 1M0

ACHEVÉ D'IMPRIMER
EN JANVIER 1994
SUR LES PRESSES DE
PAYETTE & SIMMS INC.
À SAINT-LAMBERT, P.Q.